PATRICK SOBRAL

LES LÉGENDAIRES

14. L'HÉRITAGE DU MAL

14 tomes déjà et j'ai toujours autant de plaisir à faire cette série ; c'est fou !!
Cette histoire est sans doute la plus complexe
depuis le diptyque temporel des albums 5 et 6.
La mener à terme n'a pas été de tout repos, alors j'espère que vous lirez ce tome
avec la même passion que j'ai eu à le dessiner...

Légendaires unis un jour, Légendaires unis toujours !!

Retrouve tes héros sur leur site officiel
www.leslegendaires-lesite.com

Gryf

HÉRITIER DU TRÔNE DE **JAGUARYS**, CITÉ DES HOMMES-FÉLINS, **GRYF** EST LE PLUS COURAGEUX DES LÉGENDAIRES. LORS DE SON DERNIER SÉJOUR PARMI LES SIENS, IL S'EST FAIT GREFFER UN **KATSEYE** SUR LE FRONT. LORSQUE GRYF CHOISIT DE L'ACTIVER, CE DIADÈME MAGIQUE LUI CONFÈRE LA FORCE ET LA VITESSE DE **DIX** JAGUARIANS.

Jadina

PRINCESSE DÉCHUE, **JADINA** EST DEVENUE **LE NOUVEAU LEADER** DES LÉGENDAIRES APRÈS LA MORT DE **DANAËL**. MALGRÉ LA PERTE DE SON BÂTON-AIGLE LORS D'UN COMBAT CONTRE LE **DIEU ANATHOS**, JADINA A TROUVÉ LE MOYEN D'ACQUÉRIR DE NOUVEAUX POUVOIRS TERRIFIANTS... MAIS AU RISQUE DE PERDRE SON HUMANITÉ.

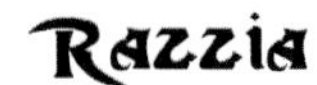

Razzia

AUTREFOIS AU SERVICE DU **SORCIER DARKHELL** SOUS LE NOM DE **KORBO L'OMBRE ROUGE**, **RAZZIA** S'EST RACHETÉ EN COMBATTANT POUR LA JUSTICE EN TANT QUE **LÉGENDAIRE**. RÉCEMMENT AMPUTÉ DE SON BRAS DROIT, IL A CONCLU **UN PACTE AVEC UN DÉMON** EN ÉCHANGE D'UN NOUVEAU MEMBRE AUX POUVOIRS MYSTÉRIEUX.

Shimy

ELFE ÉLÉMENTAIRE ET GARDIENNE DE LA PAIX DANS SON MONDE, **SHIMY** A POURTANT CHOISI L'AVENTURE DANS CELUI DES HOMMES EN DEVENANT UNE LÉGENDAIRE. DEVENUE **AVEUGLE** EN COMBATTANT LE DIEU **ANATHOS**, ELLE ARRIVE TOUTEFOIS À PERCEVOIR **LES AURAS** ET **LES ÉNERGIES** QUI L'ENTOURENT GRÂCE AUX **BROCHES ELFIQUES** QU'ELLE PORTE SUR SA TÊTE.

Ténébris

FILLE DU TERRIBLE SORCIER NOIR **DARKHELL** ET AUTREFOIS ENNEMIE JURÉE DES LÉGENDAIRES, **TÉNÉBRIS** A FINALEMENT REJOINT CEUX-CI PAR AMOUR POUR **RAZZIA**. ELLE DOIT À PRÉSENT FAIRE SES PREUVES AUPRÈS DE SES NOUVEAUX COMPAGNONS ET S'AMENDER DE SES CRIMES PASSÉS ENVERS LE PEUPLE D'**ALYSIA**.

Dépôt légal : octobre 2011. I.S.B.N. : 978-2-7560-2342-7
Première édition

Conception graphique : Trait pour Trait

Imprimé et relié en septembre 2011
sur les presses de l'imprimerie Pollina, à Luçon - L23076

www.editions-delcourt.fr

PROFESSEUR VANGELIS ...
... VOTRE RÉCIT EST DES PLUS INCROYABLES !

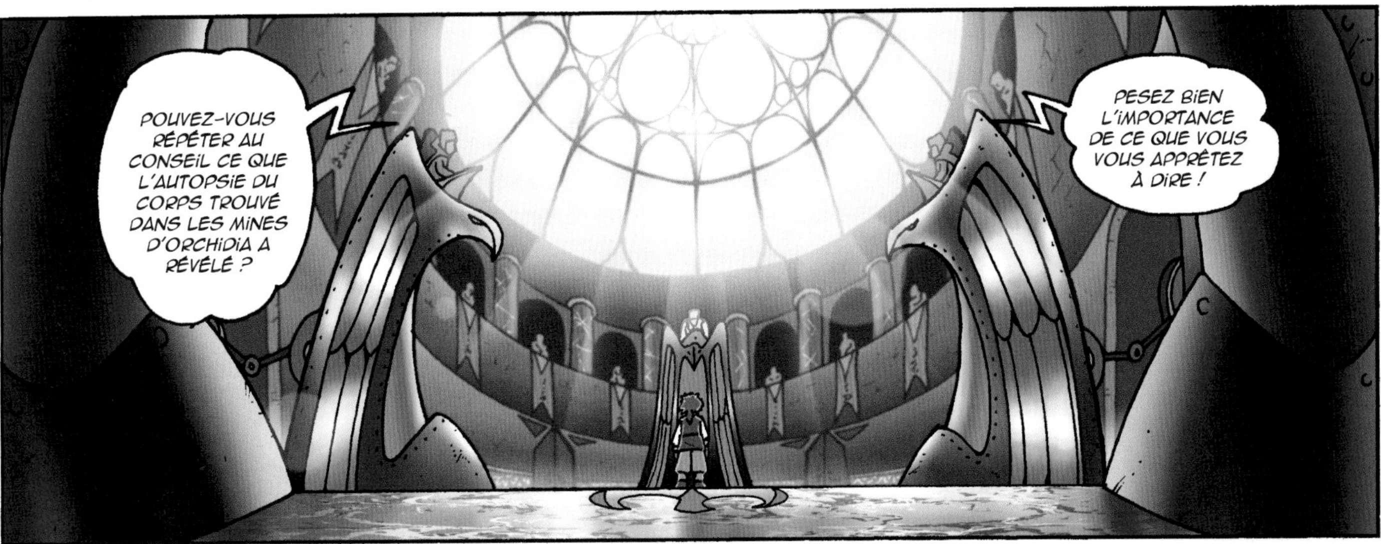
POUVEZ-VOUS RÉPÉTER AU CONSEIL CE QUE L'AUTOPSIE DU CORPS TROUVÉ DANS LES MINES D'ORCHIDIA A RÉVÉLÉ ?
PESEZ BIEN L'IMPORTANCE DE CE QUE VOUS VOUS APPRÊTEZ À DIRE !

QUELLE PARTIE DE MON HISTOIRE LE CONSEIL A-T-IL DU MAL À COMPRENDRE ?? LA VÉRITÉ A BEAU ÊTRE INSOUTENABLE ET LOURDE DE CONSÉQUENCES, J'AI ÉTÉ DES PLUS CLAIRS ...
... LA PRINCESSE JADINA D'ORCHIDIA EST MORTE !!!
C'EST BEL ET BIEN SON CADAVRE QUE LES LÉGENDAIRES ET MOI ...
... AVONS RAPPORTÉ DES PROFONDEURS DE NOTRE ROYAUME !!
1

L'AUTOPSIE QUE LE PROFESSEUR LÉTON ET MOI-MÊME AVONS PRATIQUÉE SUR SA DÉPOUILLE ...
... NE LAISSE AUCUN DOUTE SUR LA QUESTION !

...
TRÈS BIEN ! VOUS POUVEZ VOUS RETIRER, PROFESSEUR. LE CONSEIL VA PRENDRE LES MESURES QUI S'IMPOSENT EN COMMENÇANT PAR DÉCIDER DU GOUVERNEMENT PROVISOIRE À METTRE EN PLACE !!

EXCUSEZ-MOI MAIS... QUEL GOUVERNEMENT PROVISOIRE ? LES LOIS D'ORCHIDIA SONT CLAIRES À CE SUJET !!

NOTRE REINE EST DANS LE COMA, LA PRINCESSE JADINA ET LE COMTE KASINO NE SONT PLUS DE CE MONDE ! UNE SEULE DÉCISION S'IMPOSE...

... CELLE DE PLACER LA PRINCESSE TÉNÉBRIS ...
... SUR LE TRÔNE D'ORCHIDIA !!!

NOUS NE RECONNAISSONS AUCUNE LÉGITIMITÉ À LA LÉGENDAIRE TÉNÉBRIS ! LE CONSEIL NE TOLÉRERA PAS DAVANTAGE SON ACCESSION AU TRÔNE ...
... QUE VOTRE INGÉRENCE DANS DES DÉCISIONS POLITIQUES QUI NE VOUS REGARDENT PAS !

À PRÉSENT, PARTEZ ET MÉDITEZ SUR LA PLACE QUI DOIT ÊTRE LA VÔTRE !
QUE LE CONSEIL NE SE PRÉOCCUPE PAS DE MA PLACE !!

JE SAIS TRÈS BIEN OÙ ELLE SE TROUVE...
... ET AUPRÈS DE QUI !!

2

MAIS VAS-TU PARLER, DÉMONE ?!
QU'ES-TU DONC ??
POURQUOI AS-TU TENTÉ D'ASSASSINER MON ÉPOUSE ?
...
ZAAK
ZAAK
ZAAK
ZAAK
?!
NE VOUS ÉPUISEZ PAS POUR RIEN, ROI KINDER !
ELLE N'A PAS DIT UN MOT DEPUIS QUE NOUS L'AVONS CONFONDUE LA SEMAINE PASSÉE !
CLIC
CE QUE NOUS AVONS SOUS LES YEUX...
... N'A RIEN D'HUMAIN !!!
VOUS... VOUS AVEZ RAISON !
DE TOUTE MANIÈRE, MA PLACE N'EST PAS ICI MAIS AUPRÈS DE MA FEMME !!
UN... UN INSTANT !!
COMMENT... VA-T-ELLE ?
COMMENT SE PORTE LA REINE ADEYRID ?
3

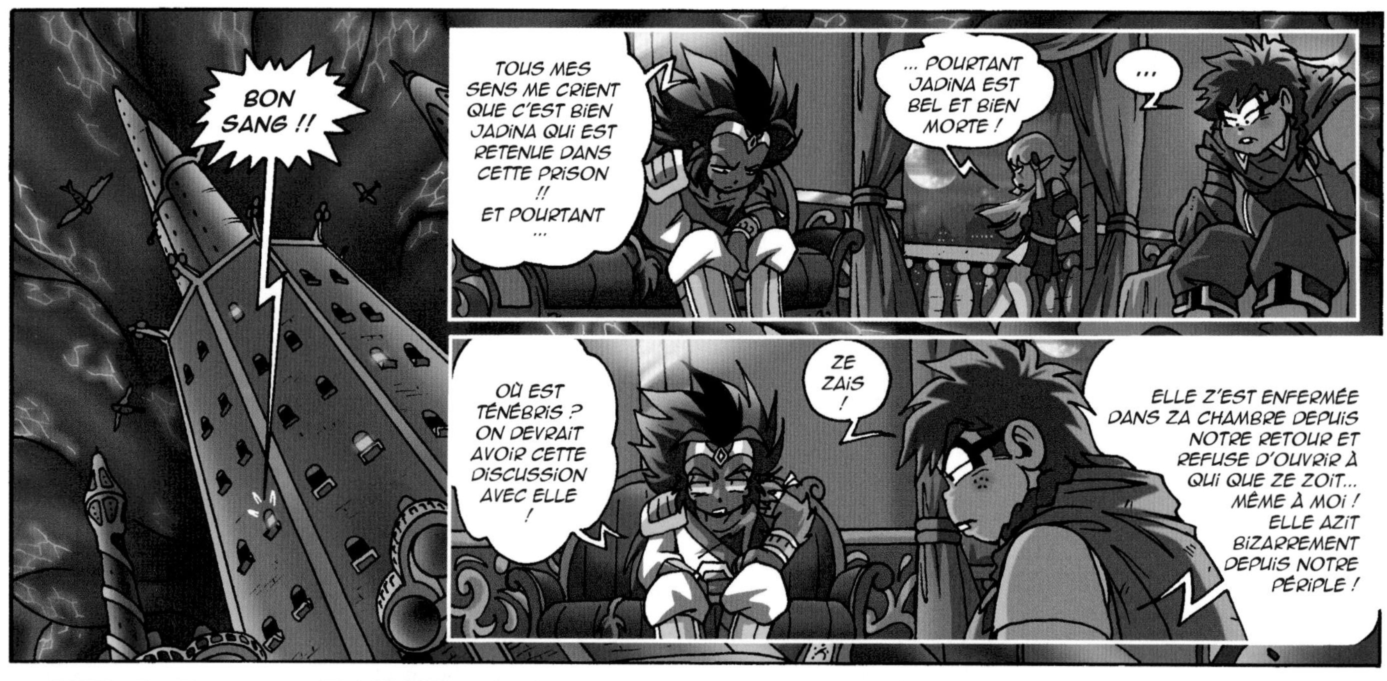
BON SANG !!
TOUS MES SENS ME CRIENT QUE C'EST BIEN JADINA QUI EST RETENUE DANS CETTE PRISON !! ET POURTANT ...
... POURTANT JADINA EST BEL ET BIEN MORTE !
...
OÙ EST TÉNÉBRIS ? ON DEVRAIT AVOIR CETTE DISCUSSION AVEC ELLE !
ZE ZAIS !
ELLE Z'EST ENFERMÉE DANS ZA CHAMBRE DEPUIS NOTRE RETOUR ET REFUSE D'OUVRIR À QUI QUE ZE ZOIT... MÊME À MOI ! ELLE AZIT BIZARREMENT DEPUIS NOTRE PÉRIPLE !

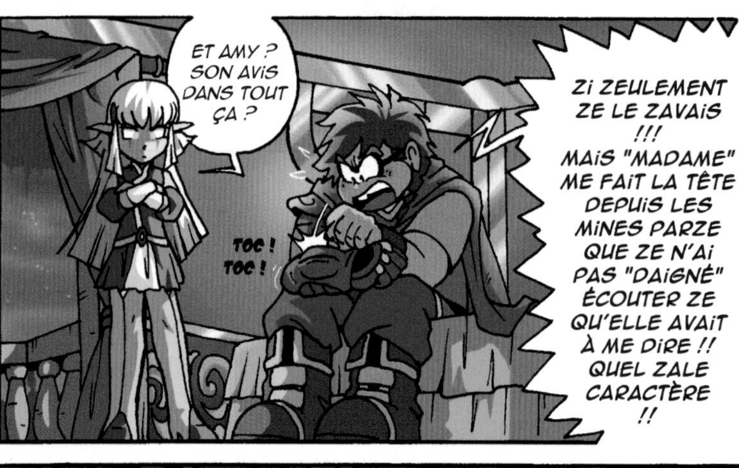
ET AMY ? SON AVIS DANS TOUT ÇA ?
TOC ! TOC !
Zi ZEULEMENT ZE LE ZAVAIS !!! MAIS "MADAME" ME FAIT LA TÊTE DEPUIS LES MINES PARZE QUE ZE N'Ai PAS "DAIGNÉ" ÉCOUTER ZE QU'ELLE AVAIT À ME DIRE !! QUEL ZALE CARACTÈRE !!

NON MAIS T'AS VU COMMENT TU PARLES AUX FEMMES, AUSSI ?
AÏE !!

"TU M'ÉTONNES QUE TÉNÉBRIS REFUSE DE TE PARLER !!"
TOC !
TOC !
TOC !
TOC !
TOC !
TOC !
LAISSEZ-MOI !! JE NE VEUX VOIR PERSONNE !!!
...
C'EST MOI !!
TOC !

J... J'ARRIVE !!
TOC !
TOC !
QUE SE PASSE-T-IL ?
LAISSE-MOI ENTRER ...
... NOUS AVONS À PARLER !
4

MA DOUCE JADINA...
... QUE T'ARRIVE-T-IL ?

POURQUOI EST-CE QUE TU TE LAISSES TRAITER DE CETTE MANIÈRE ? ÇA NE TE RESSEMBLE PAS !
...

ON M'INJECTE DE L'ANTIMAG DEUX FOIS PAR JOUR... JE N'AI PLUS AUCUN POUVOIR !

TU SAIS TRÈS BIEN QUE CE N'EST PAS CE QUE JE VEUX DIRE !

VAS-TU RÉAGIR À LA FIN ? TU ES LA VÉRITABLE JADINA, BON SANG !!

VRAIMENT ?
JE N'EN SUIS PAS SÛRE MOI-MÊME !! TOUT SEMBLE PROUVER LE CONTRAIRE.
JE SUIS PEUT-ÊTRE CE QU'ILS AFFIRMENT ... UNE IMMONDE CONTREFAÇON !!

EN Y RÉFLÉCHISSANT BIEN...
... ÇA EXPLIQUERAIT POURQUOI JE NE ME RECONNAIS PLUS MOI-MÊME, POURQUOI JE N'AI PLUS LE GOÛT DE VIVRE...

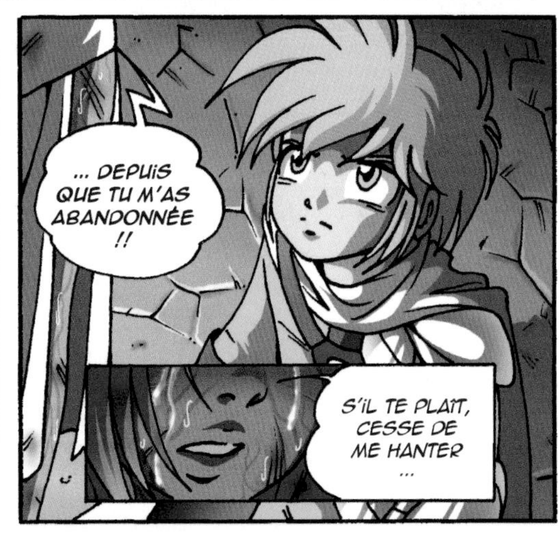
... DEPUIS QUE TU M'AS ABANDONNÉE !!
S'IL TE PLAÎT, CESSE DE ME HANTER ...

... ET LAISSE-MOI SEULE !
5

LES MEMBRES DU CONSEIL ONT ÉTÉ ARRÊTÉS CETTE NUIT ! NOUS AVONS SAISI À LEURS DOMICILES DES DOCUMENTS COMPROMETTANTS LAISSANT ENTENDRE QU'ILS COMPLOTAIENT ...

... AFIN DE PRENDRE LE CONTRÔLE DU GOUVERNEMENT ORCHIDIEN !!

MON FRÈRE EN A ÉTÉ AVERTI ET A ÉTÉ PLACÉ SOUS PROTECTION DE LA GARDE ROYALE ! QUANT AUX MEMBRES DU CONSEIL MIS EN DÉTENTION, LEUR DESTIN EST À PRÉSENT ENTRE LES MAINS DE NOTRE NOUVELLE REINE !

MAIS... JE CROYAIS QUE SEULE LA LIGNÉE DES REINES MAGICIENNES POUVAIT PRÉTENDRE AU TRÔNE D'ORCHIDIA ! QUI C'EST, CETTE NOUVELLE REINE ??

NON MAIS VOUS LE FAITES EXPRÈS, OU QUOI ?

STOP

JE SUIS SÛR QUE MÊME LES LECTEURS ONT COMPRIS DE QUI JE SUIS EN TRAIN DE PARLER !!

T... TOI ?
TÉNÉBRIS !!
NON MAIS ... C'EST QUOI, C'TE BLAGUE ? T'AS EU LA FOLIE DES GRANDEURS, OU QUOI ?
QU'Y A-T-IL D'ÉTONNANT À CE QUE JE FASSE PREUVE DE RESPONSABILITÉ ENVERS MON PAYS ? JE SUIS PRINCESSE DE SANG, APRÈS TOUT ! IL EST DE MON DEVOIR DE SUCCÉDER À MA MÈRE AFIN DE PRÉSERVER ORCHIDIA DU CHAOS !!
...
TU ES DEVENUE ...
... REINE D'ORCHIDIA ?!
TÉNÉBRIZ !! AS-TU PERDU LA TÊTE ? ET TES AMIS, ALORS ? TU LES LARGUES COMME ZA ? BON ZANG, TU ES UNE LÉZENDAIRE, TU L'AS OUBLIÉ ?
RÉVEILLE-TOI, RAZZIA !! C'EN EST FINI DES LÉGENDAIRES ! DANAËL ET JADINA SONT MORTS, NOTRE GROUPE N'A PLUS DE RAISON D'ÊTRE !
CHACUN DE NOUS DOIT À PRÉSENT TROUVER LE MOYEN D'AIDER CE MONDE À SA MANIÈRE !!!
MOI, J'AI CHOISI DE RESTER ICI AFIN DE VEILLER SUR LE PAYS QUI M'A VUE NAÎTRE !
...
TÉNÉBRIS...
ZE BLABLA ...
... Z'EST DES FOUTAISES !!!
CLAC !
7

TAP
TAP
TAP

GRYF ! SHiMY !!

QUE LES CHOSES SOiENT CLAIRES ! SA MAJESTÉ TÉNÉBRIS A ACCEPTÉ DE VOUS RECEVOIR PAR ÉGARD POUR VOTRE AMiTiÉ...
...
... MAIS C'EST DÉSORMAIS À UNE REiNE QUE VOUS VOUS ADRESSEZ, ALORS MESUREZ VOS ACTES ET VOS PAROLES !! À PRÉSENT, LAiSSEZ SA MAJESTÉ SE RETiRER !
MAiS...
GARDES, RACCOMPAGNEZ NOS iNViTÉS !

ET NOUS DEUX, TÉNÉ ?
QU'EST-ZE QUE TU FAiS DE NOTRE HiZTOiRE ?

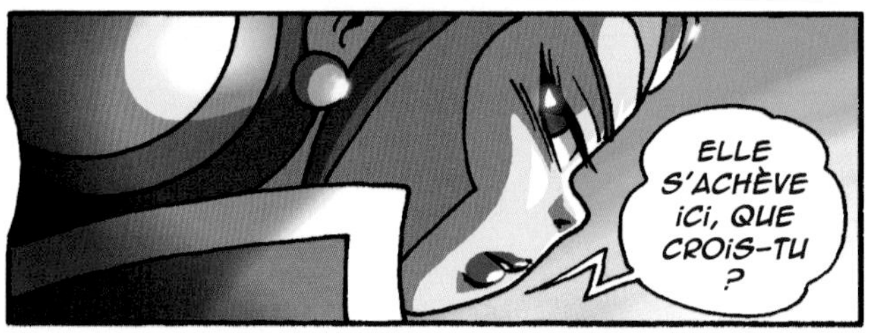
ELLE S'ACHÈVE iCi, QUE CROiS-TU ?

BEN, MOi, J'Ai JAMAiS VOULU QU'ELLE REJOiGNE NOTRE GROUPE, D'ABORD !

VOiLÀ UNE BONNE CHOSE DE FAiTE !
TU AS ÉTÉ FORMiDABLE !

...
TÉNÉBRiS ?

CHHHUT ! NE T'iNQUiÈTE PAS !
ÇA VA ALLER ...
... POUR NOUS DEUX !!

SA FILLE CACHÉE, REINE ?
QUAND ÇA ?
LE PROFESSEUR VANGELIS, TU DIS ?
OUI, ELLE L'A NOMMÉ AU POSTE DE GRAND CONSEILLER !
C'EST ARRIVÉ CETTE NUIT.
C'EST FOU !
LES DERNIERS ÉVÉNEMENTS SONT DEVENUS LE POTIN NUMÉRO UN À ORCHIDIA !
ÇA TE SURPREND TANT QUE ÇA ? FAUT DIRE AUSSI, NOTRE CHÈRE TÉNÉBRIS...

L'EMPOISONNEMENT DE LA REINE ADEYRID, LA MORT DE ZADINA, LA DIZPARIZION DES MINEURS, LE CHANZEMENT DE CARACTÈRE DE TÉNÉBRIZ ET ZON COURONNEMENT ...

... ZE NE ZAIS PAS ENCORE COMMENT NI POURQUOI, MAIS Z'AI LA ZERTITUDE QUE TOUT ZA EST LIÉ D'UNE FAZON OU D'UNE AUTRE !!

Z'EZPÈRE QUE VOUS AVEZ PRIS UN P'TIT DÉZ' CONZIZTANT ZE MATIN, PARZE QU'ON A DU BOULOT DEVANT NOUS !!

GRYF ! TU VAS QUEZTIONNER L'AUTRE DOCTEUR QUI A FAIT L'AUTOPZIE DE ZADINA ! AU CAS OÙ IL AURAIT REMARQUÉ QUELQUE CHOSE D'INHABITUEL !!
SHIMY !! VA FOUILLER LE LABORATOIRE DE VANZELIZ !! ZE LE TROUVE DE PLUS EN PLUS LOUCHE À TOURNER AUTOUR DE TÉNÉBRIZ DEPUIS LE DÉBUT !

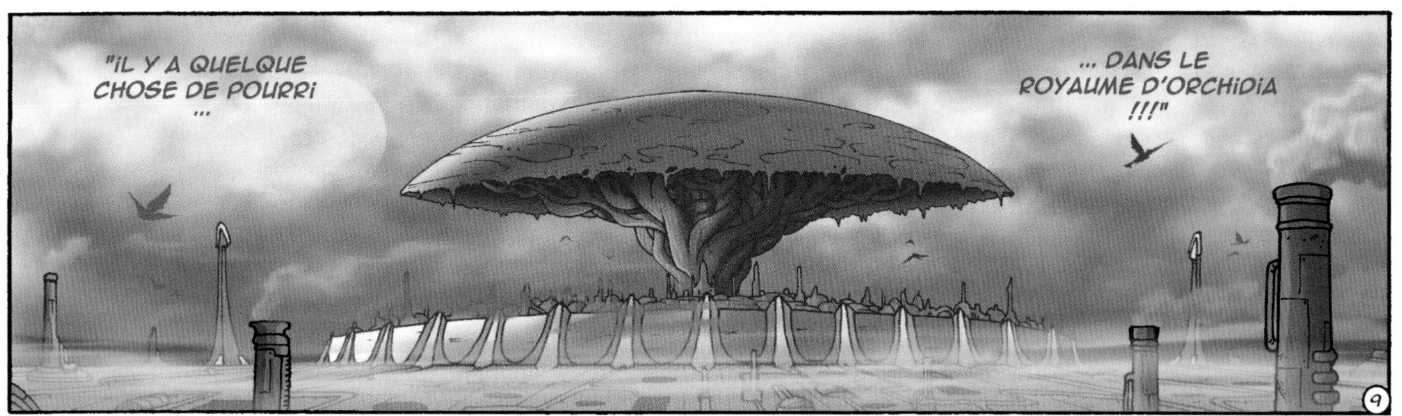
"IL Y A QUELQUE CHOSE DE POURRI ...
... DANS LE ROYAUME D'ORCHIDIA !!!"
9

SEULEMENT SI VOUS POUVEZ PARLER EN MARCHANT ! J'AI UNE VINGTAINE DE MALADES À VOIR, ALORS JE SUIS "LÉGÈREMENT" DÉBORDÉ !

DEPUIS QUE LE PROFESSEUR VANGELIS EST DEVENU GRAND CONSEILLER, J'AI HÉRITÉ DE SES PATIENTS ! DONC C'EST UN PEU LA FOLIE ICI, VOUS COMPRENDREZ !!

NON, JE N'AI RIEN REMARQUÉ EN LA PRATIQUANT QUI M'AIT PARU SUSPECT ... PAR CONTRE, IL Y A BIEN QUELQUE CHOSE QUI M'INTRIGUE SUR UN AUTRE CORPS RAMENÉ DES MINES PAR LA MISSION DE SECOURS !

OUI... C'EST CE QUE J'AI CRU COMPRENDRE ! D'APRÈS LE RAPPORT QUE NOUS A TRANSMIS LE PROFESSEUR VANGELIS, LE COMTE AURAIT ÉTÉ, JE CITE : "POURFENDU PAR LA MAIN DROITE DU DOUBLE DE LA PRINCESSE JADINA".

MAINTENANT !!

KLANG
FERMÉ !
MAIS C'EST PAS ÇA...

ZUUUUUUP
... QUI VA M'ARRÊTER !!

QUEL FOUTOIR !!

TROUVER UN INDICE DANS CE BAZAR VA ME PRENDRE UNE ÉTERNITÉ !

JE VAIS UTILISER LA FONCTION "PERCEPTION D'AURA" DE MES BROCHES !!
PEUT-ÊTRE QUE DE CETTE FAÇON, JE VERRAI QUELQUE CHOSE ...

... D'INTÉRESSANT ?!

HAAA !!
QUELLE AURA MALÉFIQUE !!

QUE PEUT CONTENIR CE COFFRE ?

MAIS C'EST...
LA MARQUE DE DARKHELL !!!
11

...
UN ÉTENDARD DÉCHIRÉ AVEC LA MARQUE DE DARKHELL ET UNE BOUTEILLE VIDE ?
MAIS QU'EST-ZE QUE ZA ZIGNIFIE ?
AUCUNE IDÉE ! MAIS CE QUI M'INQUIÈTE LE PLUS...

... C'EST LA BOUTEILLE VIDE !

JE NE SAIS PAS CE QU'ELLE A PU CONTENIR ! MAIS ELLE DÉGAGEAIT UNE TELLE AURA MALÉFIQUE QUE JE NE SUIS PAS PRESSÉE DE ME RETROUVER EN FACE DE SON CONTENU !!
ET TOI, RAZZIA ? T'AS DÉCOUVERT QUELQUE CHOSE ?

P'T-ÊTRE BIEN !
TIENS, GRYF !! RENIFLE-MOI ZA !

TAP
L'ARME DE TÉNÉBRIS ?

DIS-MOI ZE QUE TU PENZES DES TACHES ZUR LA LAME.
DES TACHES ??
?

SNIF
SNIF
C'EST... DU SANG !! DU SANG HUMAIN, QUI PLUS EST !
VIEUX... D'UNE SEMAINE TOUT AU PLUS !!!
MAIS... C'EST IMPOSSIBLE !!

TÉNÉBRIS NE S'EST SERVIE DE SES LAMES QUE CONTRE LA FAUSSE JADINA ! ET ELLE A DU SANG DE JADE "G" !

GRYF, RAPPELLE-NOUS CE QUE T'A DIT LE PROFESSEUR LÉTON !

LE COMTE KASINO A ÉTÉ TUÉ PAR UNE... LAME DE MÉTAL !!!

VOUS...
VOUS N'ÊTES QUAND MÊME PAS EN TRAIN D'INSINUER QUE...

ZE ZAIS QUE ZA A L'AIR FOU... MAIS ZE CROIS QUE Z'EST TÉNÉBRIZ QUI A TUÉ LE COMTE KASINO EN PRENANT L'APPARENZE DE LA FAUZZE ZADINA !!
12

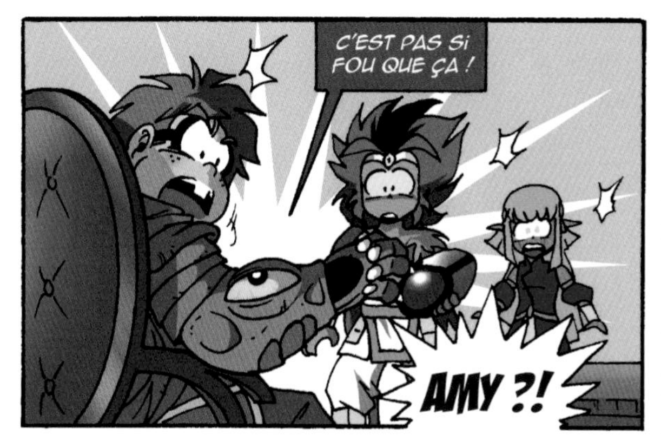
C'EST PAS SI FOU QUE ÇA !
AMY ?!

MOI, C'EST BIEN NOTRE TÉNÉBRIS...
... QUE J'AI VUE ASSASSINER LE COMTE KASINO !!
ET ELLE Y A PRIS UN RÉEL PLAISIR !

QUOI ? MAIS POURQUOI TU NE NOUS AS RIEN DIT AVANT, BON ZANG ??
J'AI BIEN ESSAYÉ MAIS TU N'AS RIEN VOULU SAVOIR !!

MAIS... POURQUOI N'AVEZ-VOUS PAS VU LA MÊME CHOSE QU'AMY ?
...

MAIS OUI !!
LES FRAISES !!
CLAP

LES...
... FRAISES ?!

SOUVENEZ-VOUS !! LA LOTION FRUITÉE DONT VANGELIS NOUS A RÉGULIÈREMENT ASPERGÉS DANS LES MINES POUR VOIR DANS LE NOIR !! JE SUIS SÛR QUE ÇA FAISAIT PARTIE D'UN SORT D'ILLUSION QU'IL POUVAIT DÉCLENCHER À VOLONTÉ !!!

AMY N'EN A JAMAIS REÇU PARCE QU'ELLE ÉTAIT EN SOMMEIL !!

MOUAIS ...
VANGELIS SERAIT DONC BIEN DANS LE COUP...
TU CHOISIRAS PEUT-ÊTRE DE M'ÉCOUTER LA PROCHAINE FOIS !!

TOC ! TOC !
ON ATTENDAIT DE LA VISITE ?
SHHHHHH
ON DIRAIT QUE C'EST LE SERVICE COURRIER !
VU TA TÊTE, ÇA DOIT ÊTRE LA NOTE DE L'HÔTEL !!
...
PIRE QUE ÇA !!
C'EST UNE INVITATION ...
... POUR ASSISTER À L'EXÉCUTION DE LA FAUSSE JADINA DEMAIN SOIR !!!
13

TAP !

HALTE !!
LIBÉREZ LE PASSAGE IMMÉDIATEMENT !!

QUE VOULEZ-VOUS, LÉGENDAIRE ?
SI VOUS ÊTES LÀ POUR IMPLORER LA CLÉMENCE DE SA MAJESTÉ POUR LA CRIMINELLE QUI DOIT ÊTRE EXÉCUTÉE, SACHEZ QUE VOUS PERDEZ VOTRE TEMPS !!

TÉNÉBRIZ... ZE ZUIS VENU TE DEMANDER PARDON POUR MON ATTITUDE D'HIER ! ZE COMPRENDS ZEULEMENT MAINTENANT LE POIDS DE TES REZPONZABILITÉS !! TU AS CHOISI D'ÊTRE FIDÈLE À TON ROYAUME NATAL...
... ET ZE ZUIS PRÊT À L'ACZEPTER ZI TU VEUX BIEN ME PARDONNER !!

JE SUIS HEUREUSE QUE TU COMPRENNES MES CHOIX, RAZZIA ! J'ESPÈRE QUE TU ...

VOTRE MAJESTÉ, JE VOUS RAPPELLE QUE NOUS SOMMES ATTENDUS !
O... OUI !

...

VOUS AVEZ PRIS LA BONNE DÉCISION... POUR TOUT LE MONDE !!

Si JE SUiS VRAiMENT CE QUE VOUS PRÉTENDEZ ET QUE J'Ai RÉELLEMENT ESSAYÉ D'ASSASSiNER LA REiNE ADEYRiD ...

ALORS LA MORT EST SANS DOUTE CE QUE JE MÉRiTE. NE ME DiTES PAS QUE VOUS PENSEZ LE CONTRAiRE !

CE N'EST PAS MOI QUI AI ORDONNÉ TON EXÉCUTION. JE N'AI DE TOUTE FAÇON PLUS AUCUN POUVOIR DANS LE ROYAUME...
... DEPUIS QUE TÉNÉBRIS EN EST DEVENUE LA SOUVERAINE !

MAIS SI TU ACCEPTES DE ME DIRE COMMENT GUÉRIR MON ÉPOUSE, JE PLAIDERAI LA CLÉMENCE AUPRÈS DE LA REINE !

J'IMPLORE TA PITIÉ !! JE VIENS DE PERDRE UNE FILLE ...
... SAUVE LA FEMME QUE J'AIME !!

J'AIMERAIS VRAIMENT VOUS AIDER ...
... MAIS JE NE SAIS RIEN !!

JE N'ASSISTERAI PAS À TON EXÉCUTION, JE RESTERAI AU CHEVET DE CELLE QUE TU AS CONDAMNÉE.

ALORS IL NE ME RESTE PLUS QU'À TE SOUHAITER ...
... DE BRÛLER EN ENFER POUR L'ÉTERNITÉ !!

VLAAAM !!

...
HAA...
HAAAAA ...
HAAAAAAAAAAAAAAAAAAAA

UN SOUCI, GRAND CONSEILLER ?
NON...
... JE ME DISAIS JUSTE QU'AUJOURD'HUI ÉTAIT VRAIMENT UNE BELLE JOURNÉE !
16

?!
HÉ ! ATTENDEZ !!!
ÇA VA, DERRIÈRE ?
VOUS ARRIVEZ À SUIVRE ?
H... !!
NE VOUS INQUIÉTEZ PAS !!
JE VOUS COLLE AU TRAIN !!
17

TU AS DEMANDÉ À ME VOIR ?
JE CROYAIS QUE NOUS DEVIONS NOUS RETROUVER À L'ARÈNE CENTRALE ?!
NOUS AVONS LE TEMPS ET IL Y A PLUS URGENT !
UN SOUCI ?
RIEN DE BIEN GRAVE, RASSURE-TOI !!
JE VEUX JUSTE TE MONTRER QUELQUE CHOSE !
APPROCHE...
... ET PRENDS MA MAIN !
QUE... ?
RAZZIA ?!
TIENS-LA BIEN, SHIMY !!
OK, MAIS DÉPÊCHE-TOI !!!
SHIMY ?!
SCHLINK ! SCHLINK !
HAMPF ...
Z'AIMERAIS TE DIRE QUE ZE NE ZERA PAS DOULOUREUX...
... MAIS Z'EST FAUX !!!
PLUS BAS... À GAUCHE... NON ! REMONTE... UN PEU PLUS À DROITE ! ÇA Y EST PRESQUE... LÀ...
TU L'AS !! SORS-LE !!!
BON ZANG... QU'EST-ZE QUE Z'EST...
... QUE ZA ??
18

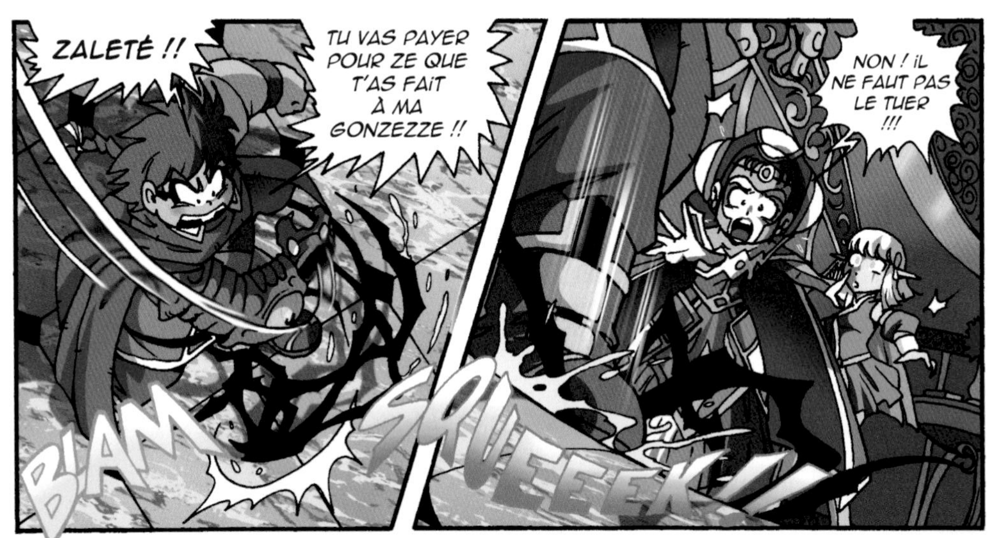
ZALETÉ !!
TU VAS PAYER POUR ZE QUE T'AS FAIT À MA GONZEZZE !!
NON ! IL NE FAUT PAS LE TUER !!!
BIAM
SQUEEEK !!

TÉNÉ, MA PUZE !!!
ZA Y EST ? T'ES REDEVENUE TOI-MÊME ?

CRÉTIN !!!
CE PARASITE EST RELIÉ À SON CRÉATEUR !!!
À PRÉSENT, IL SAIT QUE JE NE SUIS PLUS SOUS SON INFLUENCE ET IL VA AVANCER LE MOMENT DE L'EXÉCUTION !!
"IL" ?
TU VEUX PARLER DE ... VANGELIS ?!

"OUI ! EN CE MOMENT MÊME, IL DOIT RESSENTIR QUE JE VIENS DE LUI ÉCHAPPER ET QU'IL COMMENCE À PERDRE LE CONTRÔLE DES ÉVÉNEMENTS !!"
HAA...
HAA...
NON...
TÉNÉBRIS...
MA TÉNÉBRIS ...
"ET IL NE DOIT PAS AIMER ÇA !!!"
SOYEZ MAUDITS !!

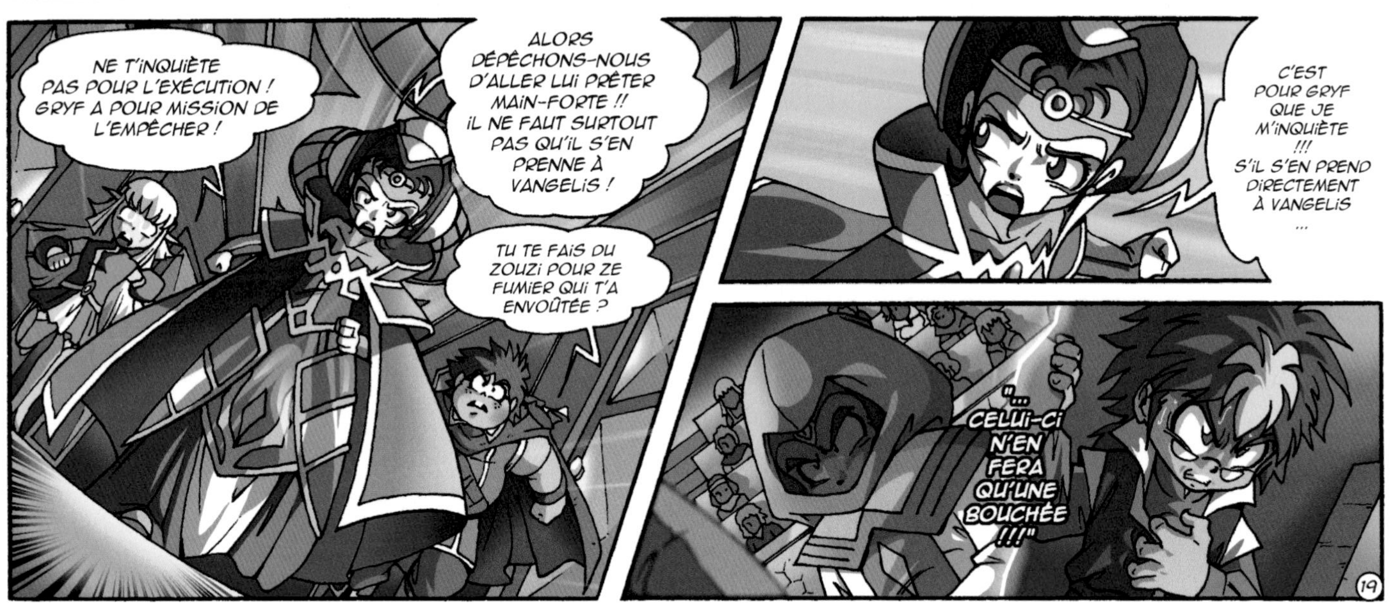
NE T'INQUIÈTE PAS POUR L'EXÉCUTION ! GRYF A POUR MISSION DE L'EMPÊCHER !
ALORS DÉPÊCHONS-NOUS D'ALLER LUI PRÊTER MAIN-FORTE !! IL NE FAUT SURTOUT PAS QU'IL S'EN PRENNE À VANGELIS !
TU TE FAIS DU ZOUZI POUR ZE FUMIER QUI T'A ENVOÛTÉE ?
C'EST POUR GRYF QUE JE M'INQUIÈTE !!! S'IL S'EN PREND DIRECTEMENT À VANGELIS ...
"... CELUI-CI N'EN FERA QU'UNE BOUCHÉE !!!"
19

QU'EST-CE QUE C'EST QUE CETTE...
... HISTOIRE ??

AMBASSADEUR KINDER...
... VOUS ÊTES EN ÉTAT D'ARRESTATION POUR COMPLOT CONTRE LE ROYAUME D'ORCHIDIA !!!
ÉLOIGNEZ-VOUS DE SA MAJESTÉ ADEYRID !!

MOI, COMPLOTER CONTRE LA CITÉ DE MON ÉPOUSE ? APRÈS LE CONSEIL, C'EST À MON TOUR D'ÊTRE ACCUSÉ ??
CYLBAR, MON FRÈRE ! COMMENT PEUX-TU CROIRE UNE SEULE SECONDE QUE JE ...
ÇA NE ME PLAIT PAS PLUS QU'À TOI ET JE TE PROMETS DE TIRER TOUT ÇA AU CLAIR...
... MAIS CE SONT LES ORDRES DU GRAND CONSEILLER... JE SUIS DÉSOLÉ !

VANGELIS ? MAIS QUELLE FOLIE L'HABITE ?

KINDER, NE COMPLIQUE PAS LES CH... HEIN ?
QUE ... ?

MERCI DE NE PAS M'INTERROMPRE !!

HAAAAAAAAAAAAAAAAAA

...
21

HAA...
HAA...

...

TANT PIS !!

LOYAUX SUJETS D'ORCHIDIA !!! CES DERNIÈRES SEMAINES ONT ÉTÉ PARMI LES PLUS ÉPROUVANTES QU'AIT CONNUES NOTRE ROYAUME !! NOMBRE DE NOS MINEURS ONT MYSTÉRIEUSEMENT DISPARU, DIMINUANT DE MANIÈRE CONSÉQUENTE NOTRE PRODUCTION DE JADE "G" !! À CELA S'EST AJOUTÉE UNE TENTATIVE D'ASSASSINAT SUR NOTRE ANCIENNE REINE, ADEYRID DE JADILYNA...
... ALORS QUE LE CORPS SANS VIE DE LA PRINCESSE JADINA ÉTAIT DÉCOUVERT DANS LES PROFONDEURS DE NOS MINES ! PROFITANT DE CETTE PÉRIODE DE TROUBLES, LES MEMBRES DU CONSEIL D'ORCHIDIA ONT COMPLOTÉ UN COUP D'ÉTAT AVEC LA COMPLICITÉ, JE VIENS DE L'APPRENDRE, DE L'AMBASSADEUR KINDER !! SANS LA VITESSE DE RÉACTION DE NOS FORCES D'INTERVENTION ET L'INSTAURATION DE LA LOI MARTIALE PAR NOTRE NOUVELLE REINE TÉNÉBRIS, NOTRE CITÉ AURAIT SOMBRÉ DANS LE CHAOS !!
NOUS AVONS DÉCIDÉ DE RÉPONDRE À CES ATTAQUES ! FAISONS UN EXEMPLE QUI MARQUERA LES ESPRITS DES ENNEMIS D'ORCHIDIA AU FER ROUGE...

... EN EXÉCUTANT AUJOURD'HUI...

... LA CRIMINELLE USURPATRICE QUI A ATTENTÉ À LA VIE DE LA REINE ADEYRID !

À GENOUX !!

...
JE SUIS... PRÊTE !

DÉSOLÉ, C'EST COMPLET !! VOUS PRENDREZ LE SUIVANT !
PARDON ?

22

PHM
ET LÀ ? TU COMPRENDS MIEUX ?
GRYF ?!
MAIS... MAIS... MAIS... TRIPLE IDIOT !!! EN FAISANT ÇA, TU VAS PASSER POUR MON COMPLICE ET TU VAS SUBIR LE MÊME SORT QUE M...
POP
HUMFF ?!
C'EST PAS VRAI, ÇA !! TU GUEULES AUTANT QUE LA VRAIE JADINA !!!
...
JE NE SAIS PAS VRAIMENT QUI TU ES OU CE QUE TU ES MAIS JE SUIS SÛR D'UNE CHOSE ...
... TU N'AS RIEN DE MALÉFIQUE !! ET IL N'EST PAS DIT QU'AUJOURD'HUI SERA LE JOUR OÙ JE LAISSERAI EXÉCUTER UNE INNOCENTE !!
G... GRYF.
VOYEZ, MES COMPATRIOTES !! LES LÉGENDAIRES EUX-MÊMES SONT CONTRE NOTRE ROYAUME ET MONTRENT LEUR VRAI VISAGE !!
GARDES !!! EMPAREZ-VOUS D'EUX... MORTS OU VIFS !!!
CLIC !
ET C'EST PARTI !!
SI VOUS VOULEZ LA BELLE...
... FAUDRA VOUS FROTTER À LA BÊTE !!
ROOOAAARR
23

ACCROCHE-TOI BIEN À MOI, ÇA VA SECOUER !!!
D... D'ACCORD !
WUUUUUUUU
ATTENTION, GRYF !!
ILS VONT LANCER DES DÉCHARGES DE JADE !!
HUUNNGH !!
LA VACHE !!!
ÇA BRÛLE, CES TRUCS !!!

24

...

FAIS ATTENTION, GRYF ! TU MARCHES SUR QUELQU'UN !
BEN ALORS ? ET LES APPLAUDISSEMENTS ??
AÏE !

10
J'AI VU MIEUX.

PEUH !! Z'ÊTES VRAIMENT UN PUBLIC DIFFICILE !!
HEIN ? MAIS DE QUOI TU PARLES ?
BON, TIRONS-NOUS D'ICI ET ALLONS VOIR SI LES AUTRES ONT REMIS TÉNÉBRIS SUR LE DROIT CHEMIN !!

OÙ CROYEZ-VOUS ALLER COMME ÇA ? TOUTES LES PORTES DE L'ARÈNE VIENNENT D'ÊTRE CONDAMNÉES !!! ON N'ÉCHAPPE PAS AINSI À LA JUSTICE D'ORCHIDIA !!!

COMMENCE SÉRIEUSEMENT À ME GONFLER, LUI !!

GRYF ... ON FONCE SUR LE PUBLIC !!
SANS BLAGUE ?!
WOMP
LE GRAND SAUT !!

OUI, C'EST ÇA ...
... MERCI DE TOMBER SI FACILEMENT DANS MON PIÈGE !!
CLICK
25

HAAAAAAAA
HAAAAAAAA

BRAMMM

ZZZZZZZZZZ

G...
GRYF !

PAR PITIÉ ... DIS-MOI QUE TU N'ES PAS MORT !

TON SAUVEUR EST COMME TOI !! SI JE VEUX QU'IL MEURE...
IL VA FALLOIR ...
... QUE JE ME SALISSE LES MAINS !!!
HAAAAGH !!
SOYEZ TOUS MAUDITS !! MON PLAN POUR PLACER TÉNÉBRIS SUR LE TRÔNE D'ORCHIDIA ÉTAIT PARFAIT !! J'EN AVAIS MINUTIEUSEMENT PRÉVU CHAQUE ÉTAPE.
26

EN PREMIER LIEU, JE DEVAIS M'ASSURER DE LA COMPLICITÉ DE TÉNÉBRIS... MALGRÉ ELLE ! SOUS PRÉTEXTE DE LA SOULAGER, JE LUI AI FAIT BOIRE UN MÉDICAMENT...
... EN FAIT UN PARASITE QUE J'AVAIS CONÇU POUR ENVAHIR SON ORGANISME ET PRENDRE LE CONTRÔLE DE SON ESPRIT !
EST APPARU ALORS LE SEUL GRAIN DE SABLE DANS LES ROUAGES DE MON PLAN...
... TOI, UNE CRÉATURE CRÉÉE À L'IMAGE DE JADINA, UN CLONE DONT J'IGNORAIS L'EXISTENCE ET QUI RISQUAIT DE ME COMPLIQUER LA TÂCHE !
C'EST À CE MOMENT QUE J'AI DÉCIDÉ DE FAIRE DE TOI LE BOUC ÉMISSAIRE POUR LES MALHEUREUX ÉVÉNEMENTS À VENIR.
AU DÉPART, J'AVAIS PORTÉ MON CHOIX SUR LE COMTE KASINO POUR L'ÉCARTER DE LA COURSE À LA COURONNE, MAIS J'AI FINALEMENT PENSÉ QU'ON TE SOUPÇONNERAIT PLUS FACILEMENT SI L'ON VENAIT À DÉCOUVRIR TON IMPOSTURE !
J'AI ALORS INGÉNIEUSEMENT DROGUÉ LES LÉGENDAIRES À L'AIDE DE MON EAU RÉALE.
JE POUVAIS DÈS LORS LES ABUSER AVEC DES VISIONS MAGIQUES À VOLONTÉ !!
AINSI, LORSQUE TÉNÉBRIS, ENFIN SOUS MON EMPRISE, A ASSASSINÉ KASINO, C'EST TOI QUE RAZZIA ET GRYF ONT VUE À SA PLACE...
... TANDIS QU'AU PALAIS, LA REINE ADEYRID VENAIT D'ÊTRE EMPOISONNÉE PAR LA LETTRE ENSORCELÉE DANS LAQUELLE JE TE DÉNONÇAIS !
LA DÉCOUVERTE DU CORPS DE LA VÉRITABLE JADINA A ÉTÉ LE CADEAU INESPÉRÉ QU'IL ME FALLAIT POUR CONVAINCRE TOUT LE MONDE !
TU FAISAIS UNE COUPABLE IDÉALE ! MÊME TOI, TU AS FINI PAR Y CROIRE !
JE N'AVAIS PLUS QU'À ÉCARTER LE CONSEIL D'ORCHIDIA ET LE ROI KINDER AFIN D'ASSEOIR TÉNÉBRIS SUR LE TRÔNE, AVEC MOI À SES CÔTÉS, ÉVIDEMMENT !
27

TÉNÉBRIS N'ÉTANT PLUS SOUS MON EMPRISE, JE DEVINE QUE LES LÉGENDAIRES ONT COMPRIS TOUT OU PARTIE DE MON PLAN ...
MAIS IL EST HORS DE QUESTION QUE JE M'ENFUIE SANS LA COMPENSATION DE TA MORT !!

HAA...
P... PRO...
... PROFESSEUR VANGELIS...
... VOUS AVEZ ÉTÉ... COMME UN PÈRE POUR MOI ! POURQUOI... ? HAA...

TU N'AS PAS ENCORE SAISI, IDIOTE ?
JE NE SUIS PAS VANGELIS !!!

QUE... ?

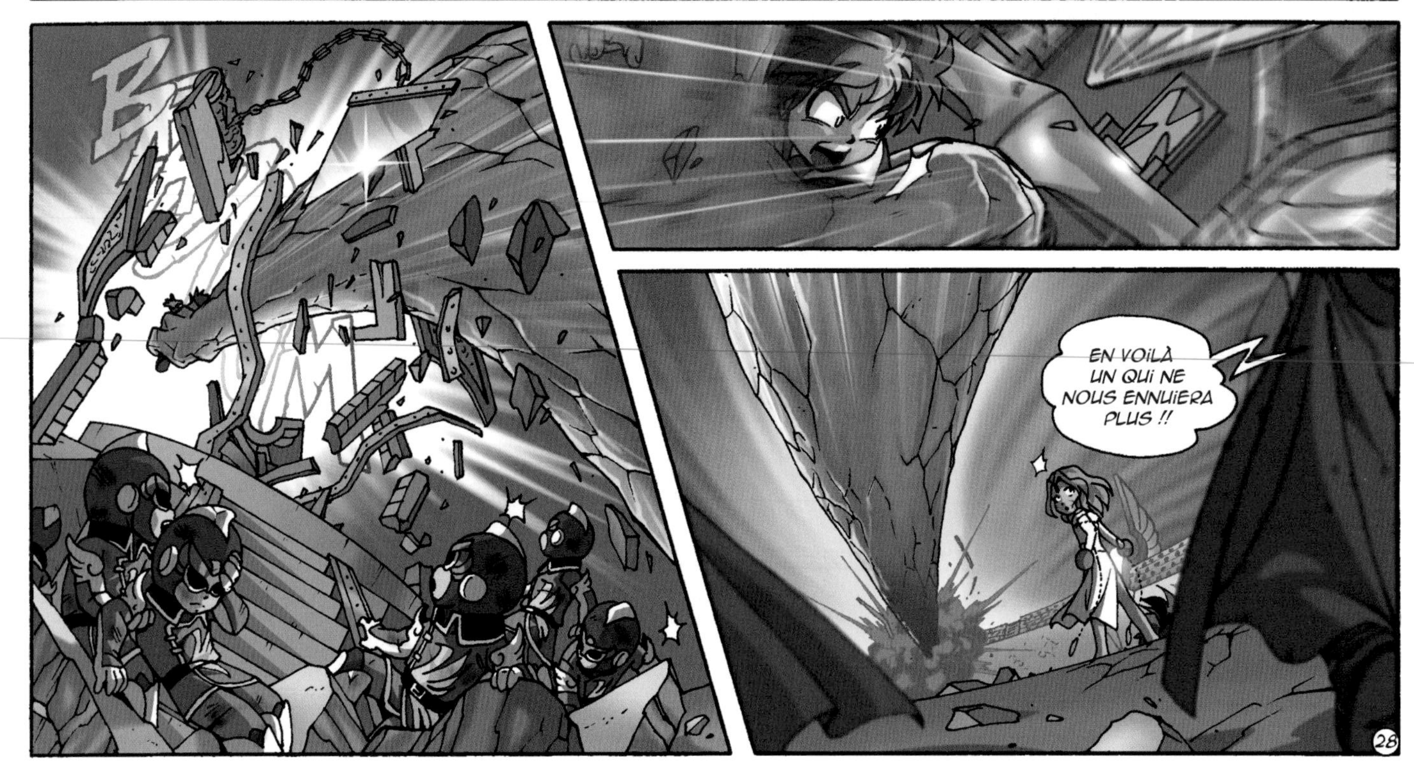
EN VOILÀ UN QUI NE NOUS ENNUIERA PLUS !!
28

SOLDATS D'ORCHIDIA, ÉCOUTEZ VOTRE SOUVERAINE !!! DE NOUVEAUX ÉLÉMENTS VIENNENT DE M'ÊTRE RAPPORTÉS CONCERNANT LA TENTATIVE DE COUP D'ÉTAT QUI A FRAPPÉ NOTRE ROYAUME ! IL S'AVÈRE QUE LE PROFESSEUR VANGELIS EST À LA TÊTE DE LA CONSPIRATION ; C'EST POURQUOI LE VOILÀ DESTITUÉ DE SON POSTE DE GRAND CONSEILLER !!

L'USURPATRICE ICI PRÉSENTE BÉNÉFICIE D'UNE GRÂCE QUE JE LUI OCTROIE EN ÉCHANGE DE SON TÉMOIGNAGE. LA MÊME IMMUNITÉ EST ACCORDÉE AUX LÉGENDAIRES QUI M'ONT AIDÉE À DÉMASQUER LE VÉRITABLE INSTIGATEUR DU COMPLOT. À PRÉSENT, JE VOUS ORDONNE DE FAIRE ÉVACUER L'ARÈNE ET DE METTRE TOUS LES CIVILS EN LIEU SÛR !!!

TOUT A COMMENCÉ IL Y A DEUX MOIS ENVIRON !! APRÈS UNE BRÈVE PÉRIODE DE RÉMISSION, LA MALADIE DE LA REINE ADEYRID AVAIT REPRIS DE PLUS BELLE...
L'ANNONCE DE SA MORT PROCHAINE FUT TERRIBLE POUR LE COUPLE ROYAL, ÉVIDEMMENT... MAIS LA DOULEUR ÉTAIT PLUS PROFONDE ENCORE DANS LE CŒUR DE VANGELIS !

EN EFFET, DEPUIS PLUSIEURS ANNÉES DÉJÀ, LE PROFESSEUR NOURRISSAIT POUR SA SOUVERAINE UN AMOUR AUSSI FOU QU'INTERDIT !!
LA VOIR AINSI DÉPÉRIR SOUS SES YEUX ÉTAIT AU-DELÀ DE SES FORCES. IL NE POUVAIT SE RÉSOUDRE À PERDRE SA BIEN-AIMÉE SECRÈTE SANS TENTER... UN DERNIER RECOURS !!

EN TRAVAILLANT DES MOIS DURANT AVEC DARKHELL SUR LA GROSSESSE D'ADEYRID, VANGELIS AVAIT DÛ RECONNAÎTRE À QUEL POINT LA MAGIE NOIRE POUVAIT ÊTRE SUPÉRIEURE À SA MÉDECINE !!! C'EST AVEC CE SEUL RAISONNEMENT EN TÊTE QU'IL PRIT LA DÉCISION DE SE RENDRE EN TOUTE DISCRÉTION...
... À CASTHELL, LE REPAIRE DE DARKHELL !!!
AU PÉRIL DE SA VIE, LE PROFESSEUR PÉNÉTRA DANS LE CHÂTEAU DU SORCIER NOIR ET Y DÉROBA NOMBRE D'EXPÉRIENCES INACHEVÉES, ESPÉRANT QUE PARMI CELLES-CI SE TROUVERAIT CELLE QUI SAUVERAIT SON AMOUR !!
PARMI LES DIVERS OBJETS RAPPORTÉS DANS SON LABORATOIRE, VANGELIS FUT INTRIGUÉ PAR UNE ÉTRANGE BOUTEILLE, ELLE-MÊME ENROULÉE DANS UN ÉTENDARD AUX COULEURS DU SORCIER NOIR ! À L'INTÉRIEUR SEMBLAIT ÊTRE CONSERVÉE UNE MYSTÉRIEUSE CRÉATURE, SANS DOUTE LE FRUIT D'UNE QUELCONQUE EXPÉRIENCE RATÉE !!

LE PROFESSEUR COMMIT L'ERREUR FATALE DE LIBÉRER LE PARASITE DE SA PRISON DE VERRE !! LE PAUVRE N'A MÊME PAS DÛ AVOIR LE TEMPS DE CRIER AVANT DE MOURIR...
... NE LAISSANT À SA PLACE QU'UN PANTIN SANS ÂME QUE LE SYMBIOTE AVAIT CHOISI COMME NOUVEAU RÉCEPTACLE !!
AUSSI MALÉFIQUE QUE DARKHELL DONT IL S'AUTOPROCLAMA L'HÉRITIER SPIRITUEL, VENAIT DE NAÎTRE... LE TERRIBLE ABYSS !!!
30

TOUT CE QUE NOUS AVONS VÉCU CES DERNIÈRES SEMAINES A DÉCOULÉ DE SON ESPRIT TORDU MAIS BRILLANT !!
ABYSS...
LE PROFESSEUR ... MORT ?!

MAIS... QUEL ÉTAIT SON BUT FINAL ?
POURQUOI TE PLACER SUR LE TRÔNE D'ORCHIDIA ?
PAR... AMOUR !!
JE NE SAIS PAS POURQUOI MON PÈRE A CRÉÉ CETTE CRÉATURE... MAIS CETTE DERNIÈRE SE SENT LE DEVOIR DE POURSUIVRE L'ŒUVRE DE CONQUÊTE DE SON GÉNITEUR !
DANS SON ÉTRANGE LOGIQUE, ABYSS ME VOIT COMME SA SŒUR ! ET C'EST PAR AMOUR FRATERNEL QU'IL SOUHAITE M'AVOIR À SES CÔTÉS POUR RÉGNER SUR ORCHIDIA ... PUIS SUR ALYSIA !!

CRRRR
EN UN SENS, IL ÉTAIT ASSEZ À PLAINDRE...

HAAAAAAAAAA
TÉNÉBRIS !!

JE SUIS DÉÇU ...
... TU CROYAIS VRAIMENT QU'IL LEUR SERAIT SI FACILE DE NOUS SÉPARER, PETITE SŒUR ? NOUS DEUX, C'EST À LA VIE, À LA MORT !!!

VIENS REJOINDRE TON FRÈRE, VIENS REJOINDRE...
... ABYSS !!!

LÉZENDAIRES, EN AVANT !!!
31

JE NE ME SOUVIENS PAS DE VOUS AVOIR CONVIÉS ...
... À NOTRE RÉUNION DE FAMILLE !!!

TU VAS MORFLER POUR ZE QUE TU AS FAIT À TÉNÉBRIZ !!!
QU'AI-JE FAIT, SINON LUI OFFRIR LA GRANDEUR QU'ELLE MÉRITE ??

ELLE N'A QUE FAIRE DE TES PROZETS POUR ELLE !!!
TU CROIS LA CONNAÎTRE MIEUX QUE MOI ?

J'AI VU LES TRÉFONDS DE SON ÂME !!! LA NOIRCEUR QUI S'Y TROUVE EST COMPARABLE À LA MIENNE !!
ELLE A REÇU L'HÉRITAGE DU MAL !!!
HAAAAAAAAAAAAA
RAZZIA !!!
32

BRAAMMM
FUSION ÉLÉMENTAIRE !!!

ABYSS ! C'EST MOI QUI VAIS TE DÉROUILLER !!!
TAP !

MINET SORT SES GRIFFES ?!

ALORS JE VAIS LES LUI COUPER !!
SALETÉ DE...
COMME TU ES GROSSIER !!!
QUE... ?
JE CROIS QUE LE MATOU A BESOIN D'ÊTRE DRESSÉ !

LEÇON N° 1...
... SE COUCHER DEVANT SON MAÎTRE !!
KBAAAAM

LEÇON N° 2 ...
... QUAND CELUI-CI VOUS L'ORDONNE ...

... SAVOIR FAIRE TAPISSERIE !!!
33

RAZZIA !! C'EST PAS LE MOMENT DE ROUPILLER !
GRYF !!
GRYF !!
RÉPONDS-MOI !!
BON ...
... AU SUIVANT !!!
LES LÉGENDAIRES ONT DÉJÀ VAINCU UN DIEU ...
... COMMENT PEUX-TU CROIRE UN SEUL INSTANT ...
... QU'UN HOMME TEL QUE TOI A UNE CHANCE DE NOUS BATTRE ?!!
TSS !
QUAND ENFIN ALLEZ-VOUS CESSER DE ME PRENDRE POUR CE QUE JE NE SUIS PAS ?
JE N'AI RIEN D'UN ÊTRE HUMAIN !!!

NON...
EST-CE QU'UN HOMME POURRAIT BRISER LE POING DE PIERRE D'UN ELFE ÉLÉMENTAIRE ...
... SANS ESQUISSER LE MOINDRE GESTE ??
34

ALLEZ, DISPARAIS ! TU M'ENNUIES !!
SHIMY !!

T'AFFRONTER ? MAIS POUR QUELLE RAISON, PETITE SŒUR ??
SLURP !!
MONSTRE !! LIBÈRE-MOI DE CES "CHAÎNES" ET AIE LE COURAGE DE M'AFFRONTER !!!

ALORS QU'IL ME SUFFIT DE TE FAIRE AVALER CETTE PETITE CHOSE POUR QUE TU REDEVIENNES CELLE QUE TU N'AURAIS JAMAIS DÛ CESSER D'ÊTRE, TÉNÉBRIS !!

ALLONS ...
... NE FAIS PAS TA DIFFICILE ET OUVRE LA BOUCHE !!
NON ! ÉLOIGNE CETTE HORREUR DE MOI, ABYSS !!
PAS QUESTION DE DEVENIR... DÉMONIAQUE !!!

"DEVENIR" DÉMONIAQUE ?
HAA...
MAIS TU L'AS TOUJOURS ÉTÉ !! CE SONT CES SATANÉS LÉGENDAIRES QUI T'ONT EMBROUILLÉ LES IDÉES AVEC LEURS "BONS SENTIMENTS" !

...
JE NE FAIS QUE REMETTRE LES CHOSES DANS L'ORDRE !!

ABYSS !!!
35

TOI ?
NE FAIS PLUS UN GESTE !!!
GADIHA... ?

TU ES SURPRIS, ABYSS ?
MÊME SI JE NE SUIS VRAIMENT QU'UNE PÂLE COPIE DE LA JADINA ORIGINALE, TU ME CROIS LÂCHE AU POINT DE LAISSER MES COMPAGNONS TOMBER ENTRE TES MAINS SANS RÉAGIR ??

C'EST UNE PLAISANTERIE, J'ESPÈRE !

JE T'EN PRIE, REGARDE DERRIÈRE TOI ! LES LÉGENDAIRES, TOUT PUISSANTS QU'ILS ÉTAIENT, N'ONT PAS TENU PLUS DE DEUX MINUTES CONTRE MOI !!

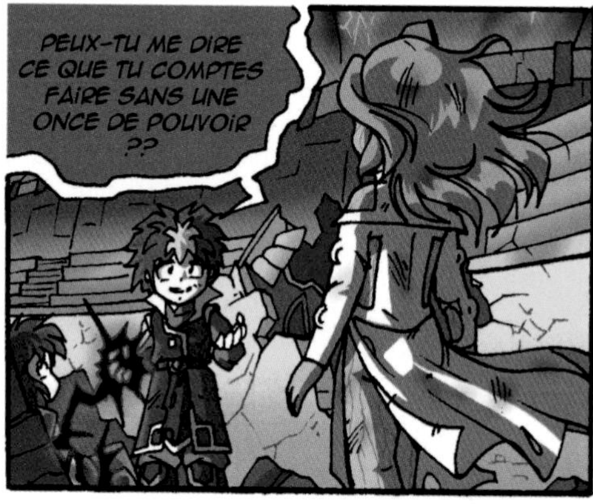
PEUX-TU ME DIRE CE QUE TU COMPTES FAIRE SANS UNE ONCE DE POUVOIR ??

TU DIS VRAI...
...
L'ANTIMAG DANS MON CORPS ME REND AUSSI INOFFENSIVE QU'UN NOUVEAU-NÉ...

... ET C'EST JUSTEMENT POUR CETTE RAISON QUE JE SUIS LA SEULE...
... À POUVOIR TE TENIR TÊTE !!!

HEIN ?

DÉGAGE !!

RHAAA...
L'AN... L'ANTIMAG !!! TU M'EN AS TRANSMIS PAR LA SALIVE... ?! SOIS MAUDITE !!
MAIS ÇA... RRR... NE SUFFIRA PAS ... À ÔTER TOUS MES POUVOIRS, IDIOTE !!
JE... LE SAIS BIEN !!
36

MAIS ÇA DEVRAIT SUFFISAMMENT AFFAIBLIR LES LIENS QUI RETIENNENT TÉNÉBRIS !!
HEIN ?
TÉNÉ...
JE T'INTERDIS ...
... DE PRONONCER MON NOM !!!
JE TE REFUSE CE DROIT !!
...
TU N'ES PAS MON FRÈRE, TU M'ENTENDS ?!
LES LÉGENDAIRES SONT LA SEULE FAMILLE QUE J'AIE...
... ET TOI, POURRITURE...
... TU AS TOUT FAIT POUR ME L'ENLEVER !!!
MAIS... TOUT CE QUE J'AI FAIT ...
... C'EST PAR AMOUR POUR TOI ET POUR NOTRE PÈRE, POUR QUE NOUS SOYONS...
IL N'Y A PAS DE "NOUS" !!
IL N'Y AURA JAMAIS DE "NOUS" !!!
NON, TÉNÉBRIS !!! SI TU LE TUES DE SANG-FROID, TU REDEVIENDRAS LA TUEUSE QU'IL CHERCHE À FAIRE REVENIR !!
NE FAIS PAS ÇA !
37
DÉSOLÉE... MAIS IL NE DOIT PAS S'EN TIRER COMME ÇA !!

RRRWABRRRROUHHH
QUE... ?

HAAAA !! MAIS LÂCHE-MOI, MAUDIT VÉGÉTAL !!

ABYSS...
... POURQUOI LES RACINES L'ATTAQUENT-ELLES ?

C'EST... C'EST IMPOSSIBLE !!

"L'ARBRE DE GAMÉRA EST EN TRAIN DE SE DÉRACINER !!!"

NOTRE HISTOIRE NE S'ARRÊTE PAS LÀ, PETITE SOEUR !!! JE REVIENDRAI ET J'ÉLIMINERAI TOUS CEUX QUI SE METTRONT ENTRE NOUS !!
NOUS SERONS DE NOUVEAU RÉUNIS, JE TE LE PROMETS !!

JE T'AIME ! JE T...
SCHPLAASH
38

JADINA...

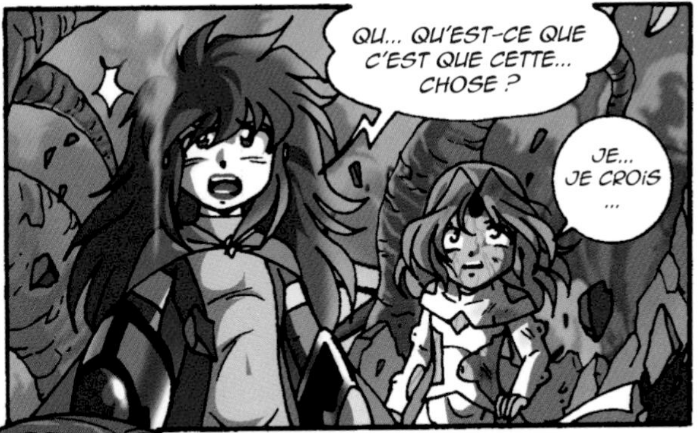

QU... QU'EST-CE QUE C'EST QUE CETTE... CHOSE ?
JE... JE CROIS ...

JE CROIS QU'IL S'AGIT DE...
... L'ARBRE DE GAMÉRA EN PERSONNE !!!

JADINA, CHAIR DE MA SÈVE... JE QUITTE LA SURFACE D'ALYSIA CAR COHABITER AVEC LES HUMAINS N'EST PLUS POSSIBLE !
PENDANT DES SIÈCLES, JE LES AI PROTÉGÉS DE MES BRANCHES ; EN RETOUR, ILS N'ONT CESSÉ DE ME MUTILER POUR S'ENRICHIR !!
CELA NE PEUT CONTINUER AINSI !!

JE...
... NOUS IGNORIONS TOUT DE LA SOUFFRANCE QUE NOUS VOUS INFLIGIONS !!

POURQUOI NE VOUS ÊTES-VOUS PAS FAIT ENTENDRE PLUS TÔT ? NOUS VOUS AURIONS ÉCOUTÉE !!

C'ÉTAIT MON INTENTION ... LORSQUE JE T'AI CRÉÉE !!
LORSQUE VOUS... QUOI ??

TU ES NÉE LE JOUR OÙ, EN QUÊTE DE L'ÉMERAUDIA, LA PRINCESSE JADINA EST DESCENDUE DANS VOS MINES...
... LE JOUR OÙ ELLE S'EST TUÉE EN FAISANT UNE CHUTE MORTELLE !!!
LORSQUE J'AI DÉCOUVERT LE CORPS DE CETTE ENFANT, LA PREMIÈRE À AVOIR PÉNÉTRÉ DANS MON SANCTUAIRE DEPUIS DES SIÈCLES...
... J'AI PENSÉ QUE LE DESTIN M'AVAIT ENVOYÉ CELLE QUI ALLAIT DEVENIR MON AMBASSADRICE AUPRÈS DES HABITANTS DE LA SURFACE !!
39

À PARTIR D'UNE FLEUR ET DU SANG DE LA PRINCESSE, J'AI CRÉÉ UNE RÉPLIQUE AMÉLIORÉE DE SON CORPS, PLUS RAPIDE, PLUS FORTE ... ET QUASI INVULNÉRABLE !!!
UNE FOIS L'HYBRIDE HUMAIN/VÉGÉTAL ARRIVÉ À UNE CERTAINE MATURITÉ, JE N'AVAIS PLUS QU'À Y PLACER L'ÂME DE JADINA QUE J'AVAIS EXTRAITE DE SON CORPS D'ORIGINE !

TU ÉTAIS NÉE !! À LA FOIS MA CRÉATION EMPLIE DU POUVOIR DE GAMÉRA COULANT DANS TES VEINES ...
... À LA FOIS LA PRINCESSE JADINA AVEC SON ESPRIT, SA MÉMOIRE ! L'ÉMISSAIRE PARFAIT DONT J'AVAIS BESOIN À LA SURFACE !!

DE TA PROPRE VOLONTÉ, TU AS OCCULTÉ TOUS TES SOUVENIRS ME CONCERNANT ...
MALHEUREUSEMENT POUR MOI, C'EST TA PARTIE HUMAINE QUI A FINI PAR PRENDRE LE DESSUS ET T'ÉLOIGNER DE MOI !!
... AFIN QUE SANS REMORDS, TU PUISSES ME TOURNER LE DOS ET REJOINDRE LA SURFACE...
... EN TANT QUE PRINCESSE JADINA POUR AFFRONTER ANATHOS AVEC SES COMPAGNONS !

TU M'AS RENIÉE... MOI, TA CRÉATRICE !!! JE N'AI POURTANT JAMAIS CESSÉ D'ESPÉRER QU'UN JOUR, TU ME REVIENNES. ALORS, JE T'AI GUETTÉE ET JE T'AI OBSERVÉE GRÂCE AU JOYAU QUE TU PORTES À TON FRONT !
J'AI AINSI PU ASSISTER À TOUS LES COMBATS QUE TU AS MENÉS POUR SAUVER ALYSIA DU CHAOS ! LES LÉGENDAIRES ET TOI AVEZ FAIT PREUVE D'UN COURAGE TEL QUE J'EN CROYAIS LES ALYSIENS INCAPABLES !!
JE PENSE QUE C'EST À PARTIR DE CE MOMENT QUE J'AI COMMENCÉ À RÉALISER ...
... À QUEL POINT CE MONDE A BESOIN DE TOI ! TU APPARTIENS AUX HABITANTS D'ALYSIA, DÉSORMAIS !!
40

MAIS MOI PAS !!
JE N'AI PLUS MA PLACE EN CE MONDE. JE LE COMPRENDS À PRÉSENT !!

NON SANS AVOIR EXAUCÉ TON DERNIER SOUHAIT, JE QUITTE CETTE TERRE FAITE POUR LES HOMMES ET JE NE REVIENDRAI QUE LE JOUR OÙ L'HUMANITÉ AURA CHANGÉ !!

C'EST... COMPLÈTEMENT FOU !!
JADINA... DIS-MOI QU'ON N'A PAS RÊVÉ !!
JADINA... ?
JADINA ?
JADINA !!

TU VAS PAS ME FAIRE UN PLAN PAREIL, HEIN ?
T'AS PAS LE DROIT DE MOURIR !!
TU M'ENTENDS ??
TU M'ENTENDS ???
41

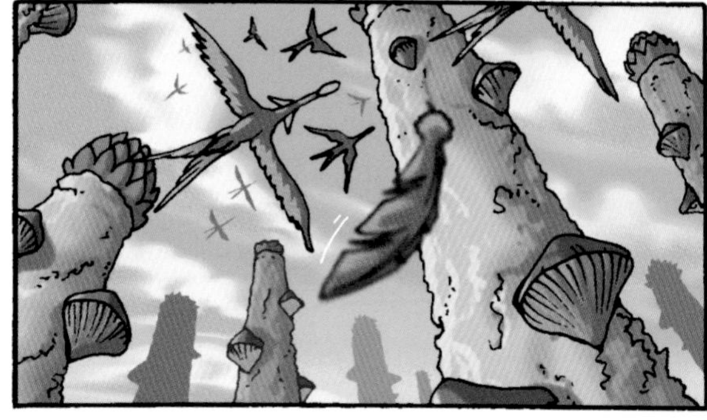

VANGELIS
JADINA

EST-CE LA STÈLE DU PROFESSEUR VANGELIS QUE TU ES VENUE FLEURIR ...
... OU BIEN LA TIENNE ?

MÈRE ?!
VOUS DEVRIEZ ÊTRE EN TRAIN DE VOUS REPOSER AU PALAIS !!
JE N'AI JAMAIS ÉTÉ AUSSI EN FORME !
GAMÉRA A DÉTRUIT TOUT LE POISON INOCULÉ PAR ABYSS ET LES DERNIERS EXAMENS DU PROFESSEUR LÉTON MONTRENT QUE JE N'AI PLUS LA MALADIE DE LERDAMER !! J'AI DONC ENCORE DE NOMBREUSES ANNÉES DEVANT MOI...
... POUR PROFITER ENFIN DE MES **DEUX** FILLES !!
JADIN
VOUS ME VOYEZ DONC COMME VOTRE FILLE ?
...
42

HO, JADINA... TU EN DOUTES ENCORE APRÈS CE QU'A RÉVÉLÉ L'ARBRE DE GAMÉRA ?
COMMENT POURRAIT-IL EN ÊTRE AUTREMENT ?? JE NE SUIS RÉELLEMENT NÉE QU'IL Y A DEUX ANS À PEINE !!
...

MON ORGANISME A FINI PAR ÉVACUER L'ANTIMAG QUI BLOQUAIT MES POUVOIRS DEPUIS DEUX SEMAINES !!!
DU COUP, JE N'AI PLUS AUCUNE DES BLESSURES INFLIGÉES CES DERNIERS JOURS... COMMENT ME CONSIDÉRER COMME UN ÊTRE HUMAIN DANS CES CONDITIONS ?

ET LE CŒUR DE KALISTO VANGELIS ?? VOUS L'AVEZ NÉGLIGÉ DE LA MÊME MANIÈRE ?
MAIS... DE QUOI PARLES-TU ?
JE VOUS EN PRIE, MÈRE !!
JADINA...

... CE CORPS N'EST PEUT-ÊTRE PAS CELUI QUE J'AI MIS AU MONDE, MAIS TON CŒUR EST BIEN CELUI DE MA FILLE QUE MES DEVOIRS ROYAUX M'ONT CONTRAINTE À NÉGLIGER TOUTES CES ANNÉES !!

À CAUSE DES RÉVÉLATIONS DE CES DERNIERS JOURS, L'AMOUR QUE VOUS PORTAIT LE PROFESSEUR VANGELIS EST À PRÉSENT CONNU DE TOUS !
MAIS CROYIEZ-VOUS VRAIMENT QUE MES YEUX D'ENFANT N'AVAIENT PAS REMARQUÉ QUE SES SENTIMENTS ENVERS VOUS ÉTAIENT PARTAGÉS ?!

TU... ÉTAIS AU COURANT TOUT CE TEMPS ??
C'EST POUR ÇA QUE TU M'EN VEUX ET QUE TU ME REFUSES TON AMOUR ?
JE N'AI PAS TROMPÉ TON PÈRE ; J'AI TOUJOURS REFUSÉ DE DONNER À VANGELIS MON PLEIN AMOUR !! TU N'IMAGINES PAS TOUT CE QUE J'AI DÛ SACRIFIER POUR LE BIEN DU ROYAUME, ALORS NE ME JUGE PAS !!

JE SAIS TRÈS BIEN QUE VOTRE UNION AVEC PÈRE ÉTAIT UN MARIAGE DE RAISON ...
... ET JE DEVINE QUEL A ÉTÉ VOTRE MALHEUR D'AVOIR ÉPOUSÉ UN HOMME QUE VOUS N'AIMIEZ PAS !!

ALORS POUR-QUOI CETTE COLÈRE, JADINA ?
PARCE QUE EN DÉPIT DE TOUT ...
43

... VOUS N'AVEZ PAS HÉSITÉ À VOULOIR ME FAIRE VIVRE LA MÊME CHOSE ...
... EN ME FIANÇANT AU PRINCE HALAN DE SABLEDORAY !!!

TAP
JADINA !!!
DITES AU REVOIR À PÈRE POUR MOI !!

JADINA !!
JADINA !!!

TU AS FINI CE QUE TU AVAIS À FAIRE, PETITE SŒUR ?
PRÊTE POUR DE NOUVELLES AVENTURES ??
44

ET COMMENT !!

L'AVENIR EST DEVANT NOUS !!
VOYONS CE QU'IL NOUS RÉSERVE !!

COMME TU PEUX LE VOIR, LES LÉGENDAIRES SE PORTENT BIEN !

À PRÉSENT, TU DOIS SUIVRE LE CONSEIL DE LA PRINCESSE JADINA !
TOURNE LE DOS AU PASSÉ ...
... ET SUIS LE CHEMIN QUE LE DESTIN T'A TRACÉ, DANAËL !!
45

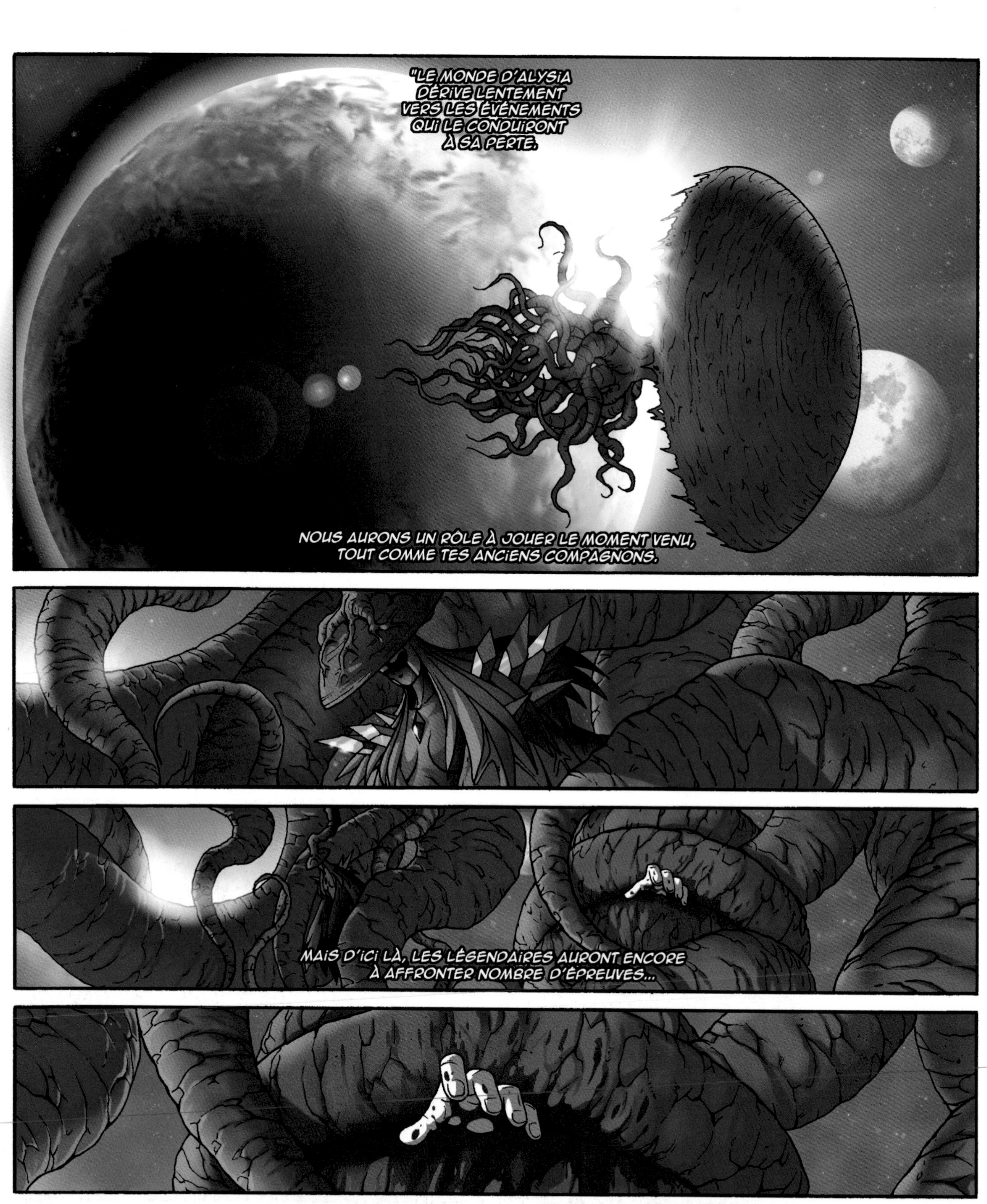
"LE MONDE D'ALYSIA DÉRIVE LENTEMENT VERS LES ÉVÉNEMENTS QUI LE CONDUIRONT À SA PERTE.
NOUS AURONS UN RÔLE À JOUER LE MOMENT VENU, TOUT COMME TES ANCIENS COMPAGNONS.
MAIS D'ICI LÀ, LES LÉGENDAIRES AURONT ENCORE À AFFRONTER NOMBRE D'ÉPREUVES...

... ET DE TERRIBLES ENNEMIS !!!"
FIN.

PROCHAINEMENT

Dans le prochain épisode, les Légendaires vont faire la rencontre de la « fiancée » de Gryf venue avertir nos héros d'une horrible menace : Sheibah, une Jaguariane renégate, s'est lancée à la recherche d'une arme terrible capable d'éradiquer la race humaine de la surface d'Alysia !

Romance et vengeance vous attendent dans

AMOUR MORTEL,

quinzième épisode des *Légendaires*, chez votre libraire en 2012.